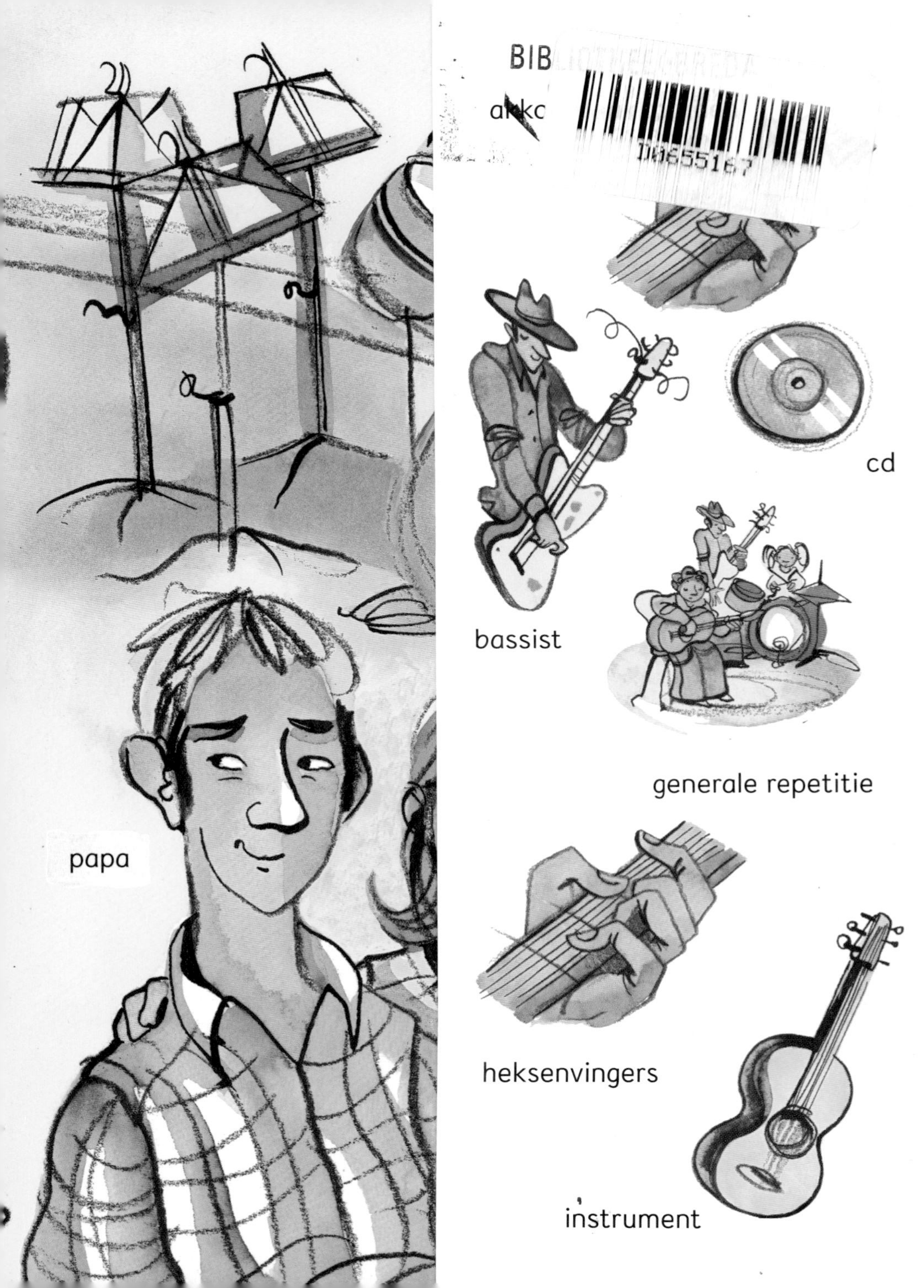
papa
bassist
cd
generale repetitie
heksenvingers
instrument

*Voor Jo en Tibo*

*Els Hoebrechts*

# *De gesprongen snaar*

met tekeningen van
Helen van Vliet

Op de cd staat een korte leesinstructie bij dit boek.
Daarna leest de auteur het eerste hoofdstuk voor.
Kijk op de cd welk nummer bij dit boek hoort.

*Achter in het boek zijn leestips opgenomen voor ouders.*

Boeken met dit vignet zijn op niveaubepaling geregistreerd
en gecontroleerd door KPC Groep te 's-Hertogenbosch.

1e druk 2006

ISBN 90.276.6265.7
NUR 286/283


Illustraties: Helen van Vliet
Leestips: Marion van der Meulen
Vormgeving: Natascha Frensch

Uitgeverij Zwijsen B.V. Tilburg

Voor België:
Zwijsen-Infoboek, Meerhout
D/2006/1919/271

# Inhoud

# 1. Juf Evi

'Dag jongens, dag Lien, kom erin!'
Drie jongens en een meisje stappen de gitaarklas binnen.
De gitaren zitten in een tas op hun rug.
'Hallo, goed geslapen?'
De stem van juf Evi is altijd vrolijk.
Juf Evi speelt keigoed gitaar.
Als zij speelt, is het altijd muisstil.

Ruben vindt dat zijn juf er leuk uitziet.
Ze heeft haar met heel lange slierten.
Die doet ze meestal in een dikke staart.
Een paar slierten hangen altijd los.
Zo'n kapsel wil Ruben later ook.
Dan past hij in een echte muziekgroep.

Ruben haalt zijn gitaar uit de tas.
Zijn papieren legt hij voor zich in de houder.
'Laat eens horen,' zegt juf Evi.
'Klinken de gitaren nog goed?'
Iedereen doet een paar slagen op zijn gitaar.
'Die van Simon moet gestemd worden.'
De gitaar klinkt vals.
Lien heeft ook een snaar die niet goed klinkt.
De juf helpt even met stemmen.
Daarvoor gebruikt ze een stemapparaat.

Maar ze kan het ook zonder.
Dan moet je heel goed luisteren naar de gitaar.

'We beginnen met het laatste lied.
Kennen jullie de slag nog?
Wie doet hem even voor?'
Lien weet het nog.
Ze speelt enkele **akkoorden**.
Daarna spelen ze samen het nieuwe lied.
Dat hebben ze vorige week geleerd.

'Dat was heel goed!' zegt juf Evi.
'Goed geoefend deze week!
Ik heb leuk nieuws ...
Binnenkort treden we op met de muziekschool.
Jullie mogen voor het eerst meedoen.
Ik denk dat we dit lied kunnen spelen.
Wie durft er mee het **podium** op?'

# 2. Een echt optreden

'Een echt optreden!' roept Lien.
'Wauw,' zegt Ruben.
Op het gezicht van Simon verschijnt een glimlach.
'Een makkie,' zegt Jonas.
'Maar dat betekent dat we nog veel moeten **repeteren**.
Vanaf nu twee keer per week,' zegt juf Evi.
Ruben zet grote ogen op.
Een echt optreden ...
Daar droomt hij al zo lang van.

'Ik heb het lied ook op **cd**,' zegt de juf.
'Daar gaan we nu eerst naar luisteren.
Zo voelen jullie het beter aan.'
De juf stopt de **cd** in de speler.
'Luister ook maar goed naar de tekst.
En naar de manier waarop de zanger zingt.'
'Moeten wij dan ook zingen?' vraagt Lien.
'Nee, nog niet.
Zingen en spelen samen is nog wat moeilijk.
We hebben ook een drummer nodig.
Dat kan ik aan de drumgroep vragen.
Misschien vraag ik de mama van Ruben erbij.
Ze speelt goed gitaar en heeft een mooie stem.'
Ruben krijgt een rode kleur.
Zijn mama?

Moet zijn mama samen met hem optreden?
Zou ze dat doen?
Tja, waarom ook niet ...
Ruben is best wel trots op zijn mama.
Samen oefenen kan prettig zijn.

Juf Evi zet de **cd** op.
Ruben herkent het lied.
Zijn vader luistert er soms naar in de auto.
Binnenkort mag Ruben het zelf spelen ... op het **podium**!
Dan is hij een echte **muzikant**.

'En nu zijn jullie aan de beurt.'
Juf Evi geeft het ritme aan.
Ruben, Lien, Simon en Jonas nemen hun gitaar.
Ze doen heel erg hun best.
Allemaal willen ze op dat **podium**.
'Het gaat prima,' zegt juf Evi.
'Denk wel aan je vingers.
Je moet kromme **heksenvingers** maken.
Als je vingers te plat liggen, demp je de snaren.
Dan klinkt het niet mooi.
Jonas, oefen je **akkoorden** deze week.
Je neemt ze nog vaak verkeerd.'
Jonas kijkt boos.
Hij vindt zichzelf goed.
Beter dan Ruben en Lien.

‘Lien, Ruben en Simon, dat was prima!
Probeer alleen wat zachter te spelen.’
Juf Evi doet het even voor.
Het klinkt nog mooier zo.
‘Nu spelen we een keer samen met de **cd**.
Luister goed naar de zanger.
Zijn stem geeft aan hoe je moet spelen.
Rustig of met wat meer pit.’
Ruben bijt op zijn lip.
Het is niet simpel.
Je moet spelen en luisteren.
Je papier ligt voor je neus.
Ook daar moet je naar kijken.

‘Goed,’ zegt de juf.
‘De les zit erop.
Deze week oefenen we twee keer samen.
Zorg dat je er bent om zes uur.
We **repeteren** in het grote lokaal.
En vergeet niet te oefenen thuis.’

# 3. Samen met mama

Ruben gaat naar buiten.
Zijn gitaar hangt op zijn rug.
Daar is mama al.
Ze komt ook van de gitaarles.
Mama speelt in een andere groep.
Ze speelt al zes jaar.
'Dag jongen, hoe ging het?'
'Leuk,' zegt Ruben.
'We mogen optreden!
Binnenkort al.
En jij moet ook meedoen.'
Mama lacht.
'Ik weet het al.
Juf Evi heeft het me vanmorgen gevraagd.'
'En doe je het?'
'Natuurlijk doe ik het,' zegt mama.
'Jij en ik op het **podium**!'
'Dan moeten papa en Pieter komen kijken.
Misschien nodigen we oma en opa ook uit,' zegt mama.
'Ja!
We nodigen ze allemaal uit.'
Ruben is heel blij.
'Kom,' zegt mama.
'We gaan naar huis.
Ik heb nog veel werk vandaag.'

Ruben en mama stappen in de auto.
Binnen tien minuutjes zullen ze thuis zijn.
Dan kan Ruben zijn papa vertellen over het optreden.
En zijn broer, Pieter.
Wat zal papa trots zijn.
Ruben denkt al aan het **podium**.
Samen met juf Evi en Lien.
En met mama natuurlijk.
Ruben vindt Simon ook een leuke jongen.
Hij is al twaalf.
Alleen Jonas is een nare jongen.
Dat vindt Lien ook.

'Zo, we zijn er,' zegt mama.
'Neem je gitaar mee.
Vlug, want het regent.'
Ruben stormt naar binnen.
'Papa! Papa! Pieter!
We gaan optreden.
Mama en ik mogen optreden!'

# 4. Repetitie

Het is woensdagavond.
De eerste repetitie gaat beginnen.
Ruben stemt zijn gitaar.
Ook de anderen zijn er al.
Lien zit naast Ruben.
Simon en Jonas zitten aan de andere kant.
Mama zoekt een plaatsje achterin.
Juf Evi heeft nog voor een drummer gezorgd.
De drummer is eigenlijk een drumster.
Een meisje van ongeveer twaalf jaar.
Er is ook een **bassist**.
Hij heeft zwarte kleren aan.
De **bassist** gaat naast mama staan.
Ruben heeft de man al een paar keer gezien.
Hij probeert altijd bij zijn mama in de buurt te zijn.
Dat vindt Ruben vervelend.
Hij kijkt met een boos gezicht naar de man.

'Oké,' zegt juf Evi.
'We gaan beginnen.
Eerst luisteren we naar elk **instrument** apart.
Zo krijgen jullie een idee van elk stuk muziek.
We beginnen met de gitaren.
Daarna luisteren we naar de drums.
En de **bassist** laten we ook een keer alleen spelen.

Lien, Ruben, Jonas en Simon, jullie beginnen.
En de mama van Ruben natuurlijk.'
Ruben pakt zijn **instrument**.
Hij hoopt dat het goed zal lukken.
In zijn gitaar hoort hij een vreemd geluid.
Gek, er is toch niets te zien.
De gitaar is donker binnenin.
Dan beginnen ze te spelen.
'Denk aan jullie **heksenvingers**!' roept de juf.
Ze komen bij een moeilijk **akkoord**.
Rubens vingers doen er altijd pijn van.
Maar het gaat goed.
Ze hebben allemaal geoefend thuis.
'Mooi!' zegt de juf.
'Nu luisteren we naar de drums.'

Terwijl het meisje drumt, kijkt Ruben in zijn gitaar.
Als hij hem omdraait of beweegt, hoort hij iets.
Toch ziet hij niets.
En de gitaar klinkt ook niet vals.
Ruben durft zijn hand niet in de gitaar stoppen.
Hij moet dan onder de snaren met zijn hand.
Misschien springt er dan wel een snaar.
Dan kan hij niet meer oefenen.
Hij luistert verder naar de drums.
En ook naar de **bassist**.
Nu moeten ze het lied samen spelen.
De juf geeft nog een paar tips.

Dan gaan ze van start.
Het is niet zo simpel.
Ruben raakt in de war.
Het is moeilijk om bij zijn stukje te blijven.
Ook Lien en Jonas raken in de knoei.

'We proberen het opnieuw,' zegt juf Evi.
'Denk aan je eigen stuk muziek.
Laat je niet storen door de anderen.
Probeer wel samen te blijven.
Anders wordt het een rommeltje.'
Daar gaan ze weer.
Het lukt al wat beter.
'Denk aan je **heksenvingers**!
Zet ze goed krom!
Jonas, je **akkoorden** zijn soms fout.
Niet versnellen!
Goed zo!
Dat klinkt al veel beter!'

Juf Evi heeft veel geduld.
Ze is soms streng, maar blijft toch lief.
Daarom gaat Ruben zo graag naar de les.
Ook omdat hij graag gitaar speelt natuurlijk.
Ze proberen het nu met de zang erbij.
Juf Evi en mama zingen het lied.
Goh, denkt Ruben, wat klinkt dat leuk!
'Het wordt steeds beter,' zegt juf Evi.

‘In het weekend oefenen we verder.
Ieder in zijn eigen klas.
En volgende week **repeteren** we weer samen.’

De repetitie zit erop.
De **bassist** staat te praten met mama.
Hij maakt grapjes en maakt haar aan het lachen.
Ruben kijkt boos.
Hij vindt de man een kwal.

Ruben stopt zijn gitaar in de tas.
Opeens ziet hij iets wits in de gitaar.
Hij kijkt opnieuw.
Dan houdt hij de gitaar naar het licht.
Er zit een papiertje in de gitaar!
Ruben draait de gitaar om.
Misschien valt het papier door de opening.
Na enkele keren lukt het.
Er valt een klein briefje uit de gitaar.
Ruben vouwt het open en leest:

*Met je mama op het podium?*
*Dan ben je stom.*

# 5. Jonas

Vandaag is het weer gitaarles.
Ruben zit aan het ontbijt.
Hij denkt aan het briefje.
Niemand weet ervan.
Mama niet, juf Evi niet en Lien niet.
Wie doet nou zoiets, denkt Ruben.
Hij heeft geen zin in de les.
Er is iemand die hem niet moet.
Dat is geen fijn gevoel.
Met tegenzin eet Ruben zijn boterham op.
'Kom Ruben,' zegt mama.
'We moeten vertrekken.
Anders zijn we te laat bij de muziekschool.'
Ruben staat op en gaat naar de gang.
Daar staat zijn gitaar.
Hij trekt zijn schoenen en zijn jas aan.
'Vergeet je sjaal niet,' zegt mama.
Dan gaan ze naar buiten en stappen in de auto.

De deur van de gitaarklas staat open.
Juf Evi zit te wachten.
Lien en Simon zijn er al.
'Dag Ruben!
Heb je er zin in?' vraagt de juf.
'Mmm.'

gitaar 2

Ruben klinkt niet echt blij.
Hij gaat zitten en pakt zijn gitaar.
Het briefje, denkt Ruben.
Wie heeft het briefje geschreven?
Ruben kijkt naar Simon.
Simon is al wat groter.
Maar Ruben vindt Simon heel aardig.
Hij kan het niet gedaan hebben.
En Lien, nee, die ook niet.
Lien is zijn beste vriendin.

Daar is Jonas.
'Zo,' zegt de juf.
'Nu kunnen we beginnen.
Hebben jullie thuis nog geoefend?'
'Ik kan het al,' zegt Jonas.
'Heb je je **akkoorden** nog gespeeld?' vraagt de juf.
Jonas kijkt boos naar de anderen.
Ruben kijkt Jonas recht in zijn ogen.
Zou hij het briefje in de gitaar gestopt hebben?
Hij zou dat zeker durven, denkt Ruben.

'Zijn jullie klaar?' vraagt de juf.
'Eén, twee, drie en vier.'
Juf Evi speelt samen met de kinderen.
Het klinkt goed.
Maar Ruben kan niet volgen.
Hij denkt aan het briefje.

Misschien is het wel die **bassist**, denkt Ruben.
Hij is zeker verliefd op mijn mama.

'Ruben,' zegt de juf.
'Lukt het vandaag niet zo goed?
Je speelt een beetje te traag.'
Ruben kijkt sip.
Jonas begint te lachen.
'Jonas!' roept juf Evi.
'Speel het lied maar alleen.
Eens kijken of jij je **akkoorden** kent.'
Jonas begint te spelen.
Hij maakt een paar fouten.
Maar zijn **akkoorden** gaan al beter.
'Oké,' zegt de juf.
'Het komt wel in orde voor het optreden.
Er mag iemand van jullie op een **elektrische gitaar** spelen.
Wie zou dat graag proberen?'
Alle vingers gaan de lucht in.
'Een echte **elektrische gitaar**, wauw.'
'Ruben, wil jij het proberen?'
Ruben kijkt blij op.
'Ja!' roept Ruben.
'Pfff…' zucht Jonas.
'Waarom mag ik dat niet?'
Jonas trekt een lelijk gezicht naar Ruben.

# 6. Grote repetitie

Rubens mama is ziek.
Ze ligt in bed.
En net vandaag is het grote repetitie.
De juf noemt het *generale repetitie*.
Ruben moet alleen gaan.
Zijn papa en Pieter, zijn broer, brengen hem weg.
Ruben is er niet gerust op.
Vandaag moet het helemaal goed gaan.

Alle **muzikanten** maken zich klaar.
Juf Evi kijkt of alles in orde is.
Ze oefenen nu met een echte **microfoon**.
En ze zitten op een **podium**.
Zo lijkt het alsof ze optreden.
‘Daar gaan we,’ zegt juf Evi.
‘De mama van Ruben moeten we even missen.
Maar probeer er het beste van te maken.’
En dan beginnen ze te oefenen.
Ruben is heel trots.
Hij heeft het gevoel een echte **muzikant** te zijn.
Ook de andere kinderen stralen.
‘Opnieuw!’ roept juf Evi.
‘Het moet wat kalmer.
Jullie zijn net een sneltrein.
Die raast ook maar door.

Probeer rustig te blijven.
En luister goed naar elkaar.'
Iedereen gaat wat rechter zitten.
Ze proberen het opnieuw.
Nu wat rustiger.
Ja, denkt Ruben, dat lukt, dat lukt!
Maar dan gebeurt er iets met zijn gitaar.
Met een vreemd geluid springt er een snaar.
De snaar springt recht in zijn gezicht ...

# 7. Naar de dokter

'Au!' kreunt Ruben.
Hij voelt aan zijn gezicht.
Juf Evi komt naar Ruben toe.
'Ruben, gaat het?'
Ruben houdt zijn handen voor zijn gezicht.
De tranen springen in zijn ogen.
'Ai,' zegt de juf.
'Dat ziet er niet goed uit.
De snaar is tegen je oog gekomen.
Ik vrees dat we meteen naar de dokter moeten.'
'Bloedt het?' vraagt Ruben.
'De snaar heeft in je wang gesneden.'
De andere kinderen staan rond Ruben.
Maar Ruben verstopt zijn gezicht.
Hij wil niet dat ze hem zien huilen.
'Kom,' zegt juf Evi.
'Ik ga met je naar de dokter.'
Juf Evi zet de gitaar van Ruben opzij.
Dan hoort ze iets in de gitaar.
'Wat is dat?
Er zit iets in je gitaar.
Kom, we hebben haast, ik neem je gitaar mee.'

Ruben zit achter in de auto van juf Evi.
Zijn gezicht doet pijn.

Net onder zijn oog lijkt het wel te branden.
Bij de dokter stappen ze uit.
De wachtkamer is leeg.
'Dat is fijn,' zegt de juf.
'Dan zijn wij meteen aan de beurt.
Gaat het, Ruben?'
'Ja, het gaat wel,' zegt hij.
Dan kijkt juf in de gitaar van Ruben.
Er zit een papiertje in.
'Wat is dat?' vraagt juf Evi.
Ruben haalt zijn schouders op.
Juf Evi haalt het briefje eruit.
Ze doet het open en leest:

*Zonder mama op het podium ...*
*Nu zal het niet lukken! Arm kereltje.*

'Wie heeft dat geschreven?'
'Ik weet het niet,' zegt Ruben.
'Het is al het tweede briefje.'
'Dat wil ik wel eens weten,' zegt juf Evi.
'Wie doet nu zoiets?'
Ruben glimlacht naar juf Evi.
Nu is er toch iemand die van zijn probleem af weet.

Daar is de dokter.
'Kom binnen,' zegt hij.
'Je hebt een lelijke wond onder je oog.

Wat is er gebeurd?'
'De snaar van mijn gitaar is gesprongen.
Recht in mijn gezicht.'
'Is zijn oog niet geraakt?' vraagt juf Evi.
'We gaan eens kijken,' antwoordt de dokter.
De dokter schijnt met een lichtje in Rubens oog.
'Je hebt geluk,' zegt hij.
'De snaar is net onder je oog gekomen.
Het is wat rood, maar je oog is niet geraakt.
Die wond moet verzorgd worden.
En voor je oog krijg je een zalfje.'
'Oef,' zegt juf Evi.
'Elke dag drie keer in je oog doen,' zegt de dokter.
'Morgen is de wond misschien een beetje blauw.
Maar dan zal het snel beter worden.'

Juf Evi neemt afscheid van de dokter.
Dan rijdt ze met Ruben langs de apotheek.
Ze halen de zalf.
'Wie zou dat briefje geschreven hebben?' vraagt juf Evi.
Ruben denkt na.
Misschien is het Jonas.
Kan het de **bassist** zijn?
Of Simon?
Neen, Simon en Lien zouden dit nooit doen.
'Ik weet het niet,' zegt Ruben.
'Wie kon er weten dat mijn moeder ziek was?
En dat ze niet mee kon oefenen?'

# 8. Wie is de dader?

'Simon, Lien en Jonas, komen jullie even mee?'
Juf Evi loopt voorop.
De drie volgen juf Evi naar de kleine gitaarklas.
'Ruben, kom maar mee,' zegt juf Evi.
'Ga zitten.
Vandaag is de repetitie niet goed gegaan.
Erger, er is iets heel naars gebeurd.
Weten jullie wat er aan de hand is?'
Simon, Lien en Jonas kijken verbaasd.
'Eh,' aarzelt Simon.
'De snaar van Ruben zijn gitaar is gesprongen.'
'En?' vraagt de juf.
'En ... die is in zijn gezicht gekomen,' zegt Lien.
'Ja, en ...?'
De drie kijken vragend.
'De snaar van Ruben is stuk gegaan.
Dat kan met elke gitaar gebeuren.
Maar er was nog iets anders aan de hand.
Er zat een briefje in de gitaar van Ruben.
Wie weer daar meer van af?' vraagt juf Evi.
'Ik weet niets van een briefje,' zegt Lien meteen.
'Ik ook niet,' antwoordt Simon.
De juf kijkt naar Jonas.
'Ik weet ook van niets,' zegt Jonas.
'Dat zal wel,' zegt Ruben.

'Echt,' antwoordt Jonas.
'Het is al het tweede briefje,' zegt de juf.
'Het zijn geen leuke briefjes.
Ik wil weten van wie ze komen.
Ik vraag het nog één keer.
Wie heeft die briefjes geschreven?'
De kinderen halen hun schouders op.
Jonas kijkt met een vreemde blik naar Ruben.
Hij is het, denkt Ruben.
Maar hij is te laf om het te zeggen.
'Goed.'
Juf Evi neemt haar pen en draait hem open.
'Ik wil dat jullie de volgende twee zinnen opschrijven:

*Met je mama op het podium.*
*Dan ben je stom.*

Ik denk dat ik zo wel kan zien wie die briefjes gemaakt heeft.
Als ik ontdek wie het gedaan heeft ...
Dan wil ik die persoon niet meer zien in mijn les.'

Om de beurt schrijven de kinderen de zinnen over.
Hun naam moet er ook bij.
Ruben kijkt naar de kinderen.
Zou een van hen het gedaan hebben?

# 9. De test van de juf

‘Ik zal jullie handschrift goed bekijken,’ zegt de juf.
‘Meer heb ik niet te zeggen.
Nu kunnen jullie naar huis.’
Ruben weet niet wat hij moet zeggen.
Juf Evi is nu wel heel streng.
Dat is hij niet gewend.
Simon, Lien en Jonas kijken met grote ogen.
Ze durven niets te zeggen en gaan de klas uit.

‘Juf,’ zegt Ruben zacht.
‘Ben je nu niet te streng geweest?
Wat als ze het niet gedaan hebben?’
‘Dan hoeven ze ook niet bang te zijn.
De test dient immers alleen om af te schrikken.
Ik denk dat de schuldige wel naar mij toe komt.
En dan weten we meteen wie jou wil pesten.’
‘O,’ antwoordt Ruben.
‘Zit dat zo?
Ik denk dat ik nu maar ga.
Mijn papa komt me halen.’
‘Ja,’ zegt de juf.
‘Ik loop wel even mee.
Dan kan ik je vader vertellen over de snaar.
Ik heb ook een briefje van de dokter.
Je mag de zalf niet vergeten, hè?’

‘Nee, juf.
Bedankt voor alles,’ zegt Ruben.
‘Graag gedaan.
We vinden de dader wel.’

# 10. De snaar van mama

Ruben zit op zijn kamer.
Hij denkt aan de vorige dag.
De repetitie, de snaar, het briefje.
Het lijkt wel een spannende film op tv.
Maar leuk vond Ruben het niet.
Hij weet nog steeds niet wie die briefjes schrijft.
En waarom?
Is Jonas jaloers op hem?
Of is het die **bassist** in het zwart?
Is er nog iemand anders die hem wil pesten?
Ruben weet het niet.
De juf heeft gelukkig niets verteld aan papa.
Ze heeft gewoon gezegd dat de snaar gesprongen is.
Misschien vertelt hij het wel aan mama.
Maar nu nog niet.
Eerst wil hij wachten tot de volgende les.
Zou Jonas de schuldige zijn?

'Ruben! Ruben! Ruben! Ruben!'
Mama roept naar boven.
'Kom eens vlug.'
Ruben loopt de trap af.
Mama zit in de stoel.
Ze is al beter.
Als mama zich goed voelt, speelt ze gitaar.

‘Moet je nu horen,’ zegt mama.
‘Mijn snaar is ook stuk.
En het gekke is dat die zelfs verdwenen is.
Nu heb ik nog maar vijf snaren.’
Ruben kijkt heel verbaasd.
En dan vertelt hij van de briefjes.
Hij vertelt mama het hele verhaal.
Van de gesprongen snaar en de test van de juf.
‘Snaren kunnen springen,’ zegt mama.
‘Maar een snaar kan niet zomaar verdwijnen.’
Wie wil mama nu pesten, denkt Ruben.

Er klopt iets niet.
Mama was toch niet op de **generale repetitie**?
Hoe kan die snaar dan stukgemaakt zijn?
Mama denkt dat het toeval is.
Ruben weet het niet meer.
Misschien kan juf Evi hem helpen.

# 11. Een snaar in de papiermand

Misschien moet ik juf Evi bellen, denkt Ruben.
Maar dat durft hij niet zo goed.
Nee, hij moet geduld hebben.
Vandaag is het zondag.
Mama en papa blijven thuis.
Ruben verveelt zich.
Wat zou zijn broer aan het doen zijn?
Ruben loopt naar de kamer van Pieter.
Maar zijn broertje is niet op zijn kamer.
Op zijn tafel ligt een spel.
Dat wil Ruben wel spelen.
Misschien willen mama en papa wel meedoen.
Of Pieter.
Er ligt ook een kladblok op de tafel van Pieter.
Er staan wat groene krabbels op.
Gek, denkt Ruben.
Hij bekijkt de krabbels en herkent een paar woorden.
*Podijoem – podium.*
Hè, waar is zijn broer mee bezig?
Ruben kijkt in de papiermand van zijn broer.
Misschien liggen daar nog stukjes van het kladblok.
Maar dan schrikt Ruben.
De snaar van mama ligt in de papiermand van Pieter.
Ruben heeft de dader!
Zijn vrienden hebben hier niets mee te maken.

Zijn eigen stomme, kleine broertje is de schuldige.
Ruben is razend.
Hoe kan zijn broer dit nu doen?
En waarom?
Ruben holt de trap af.
'Waar is Pieter?' roept hij.
'WAAR?'
'Rustig aan!'
Mama houdt Ruben tegen.
'Wat is er?
Hebben jullie weer ruzie?'
'Ruzie?' roept Ruben.
'Weet je wat ik ontdekt heb?
Weet je wie die rottige briefjes schrijft?
En wie aan de snaren van je gitaar komt?'
Mama kijkt heel bezorgd.
'Wie dan?' vraagt ze zacht.
'Mijn snertbroer!'
'Hoezo, Pieter?' vraagt mama.
'Waarom denk je dat, Ruben?'
'Kom maar eens mee op zijn kamer kijken!'
Ruben rent de trap op.
Hij is woest.
Hij heeft zijn vrienden verdacht.
En nu is het zijn eigen stomme broer!
Van je familie moet je het hebben, denkt Ruben.
Dan ziet mama wat Ruben bedoelt.

De krabbels en de snaar liggen in de papiermand.
Mama vindt het heel erg.
'Waar is Pieter nu?' roept Ruben.
'Ik zal hem eens ...!'
'Nee,' zegt mama heel ernstig.
'Ik wil met Pieter praten.
Wat hij gedaan heeft, kan niet.
Ik ga met hem naar het bos.
Ruben, doe me een plezier en blijf nu kalm.
Pieter is pas acht.'

# 12. Pieter en Ruben

Mama heeft met Pieter gepraat.
Ze zijn wel bijna een uur weg geweest.
Pieter heeft gehuild.
Zijn gezicht en zijn ogen zijn rood.
Ruben vindt het net goed.
Pieter moet naar zijn kamer.
'Kom,' zegt mama.
'We gaan even samen aan de tafel zitten.
Wat je broer gedaan heeft, was fout.
Heel erg verkeerd.
Daarom is hij gestraft.
Deze week voor hem geen tv en geen computer.
Maar Ruben, ik wil niet dat je hem plaagt.
Pieter is soms verdrietig.
En ik heb dat nooit gezien.'
'Hoezo?' vraagt Ruben kort.
'Wij gaan elke week twee keer naar de muziekschool.
Pieter blijft dan bij papa,' vertelt mama.
'Maar Pieter voetbalt toch,' zegt Ruben.
'Daar heeft hij zelf voor gekozen.'
'Ja, en blijkbaar heeft hij daar spijt van.
Hij is een beetje jaloers op ons.
Ik doe niets samen met hem.
Hij durfde dat niet te zeggen.'
'Pff,' zucht Ruben.

‘Wat stom.
Papa gaat toch altijd met hem mee?’
‘Ja, maar wij treden nu samen op.
Blijkbaar droomt Pieter daar ook van.
‘Tja ...’
Ruben weet niet wat hij moet zeggen.
‘En daarom heeft hij zo rot gedaan?’
‘Ja,’ zegt mama.
‘Spijtig, maar zo is het.’
‘Misschien moet Pieter dan ook maar gitaar gaan spelen.
Vanaf acht jaar kan dat toch?’ vraagt Ruben.
‘Ja, dat klopt,’ zegt mama.
‘Maar hij moet dit jaar eerst voetbal afmaken.
Het jaar is al betaald.’
‘Misschien moeten we Pieter verrassen,’ zegt Ruben.
‘Als ik hem nu mijn kleine gitaar eens geef?
Maar dan moet hij wel iets beloven!
Geen briefjes meer en geen gepest.
En goed zijn best doen!’
‘Dat zou heel lief van je zijn, Ruben.’
Mama lacht.
Ze geeft Ruben een knipoogje.
‘Goed idee!’

# 13. Het optreden

Ruben en mama vertrekken met de auto.
Ze rijden naar de muziekschool.
Straks begint het optreden.
Eerst moeten ze nog even **repeteren**.
Papa komt later met Pieter.
Ruben heeft zijn oude gitaar mooi ingepakt.
Die ligt klaar in de auto van papa.
Er zit een grote strik op en er ligt een briefje bij.

*Voor Pieter*
*Vanaf nu geen voetbal meer voor Pieter.*
*Hier is een gitaar voor jou.*
*Veel plezier ermee!*

*PS Maar blijf van onze snaren af ;-)*

*Ruben en mama xxx*

Ruben heeft nog wat goed te maken.
Hij vertelt het verhaal aan juf Evi.
Samen vertellen ze alles aan Lien, Jonas en Simon.
Die zijn niet boos op Ruben.
Juf Evi is een beetje streng geweest.
Dat vinden ze wel.

Nu denken ze aan het optreden.
Ze gaan er samen voor!
Elke **muzikant** heeft een plaatsje op het **podium**.
De gitaren worden nog vlug gestemd.
Ruben mag op de **elektrische gitaar**.
En dan is het zo ver.
De juf telt af: 'Een, twee, drie, vier.'
Ruben ziet zijn broer zitten.
Pieter lacht naar hem.
Zijn ogen glimmen.
Naast hem zitten papa, oma en opa.
En Ruben speelt als de beste!

# *Leestips*

## Algemeen

### Leesplezier is het allerbelangrijkste!

Kinderen bij wie het leren lezen niet zonder problemen is verlopen, vinden lezen moeilijk en niet leuk. De boekenserie Zoeklicht Dyslexie wil de drempel om te gaan lezen verlagen en kinderen laten ervaren dat het lezen van een verhaal plezier geeft.
U kunt als ouder een belangrijke rol spelen in het laten ervaren van leesplezier. Daarom hebben we hieronder wat eenvoudige tips bij elkaar gezet.

De gulden regel is om het plezier in het lezen voorop te stellen.
**Dwing uw kind nooit tot lezen.** Kies geen boeken voor het kind waarvan u niet zeker weet dat uw kind het onderwerp leuk vindt. En kies liever een boek met een (te) laag AVI-niveau dan een boek met een (te) hoog AVI-niveau.

**Maak lezen niet tot straf.** Stel het lezen niet in de plaats van iets wat uw kind graag doet, bijvoorbeeld computeren of televisie kijken. Lees elke dag een kwartiertje op een tijdstip dat uw kind het wil. Geef het bijvoorbeeld de keuze: of om acht uur naar bed of nog een kwartiertje opblijven om samen te lezen. Zo wordt lezen extra leuk.

**Een keer geen zin in lezen?** Lees dan voor. Hiermee zorgt u ervoor dat uw kind kan blijven genieten van boeken en verhalen, zonder dat het hiervoor een (te) grote inspanning moet leveren. Heeft u een poosje geen tijd om voor te lezen? Leen dan eens een luisterboek bij de bibliotheek.

## De gesprongen snaar

**Maak uw kind nieuwsgierig.** Om uw kind nieuwsgierig te maken naar dit boek, kunt u het boek alvast samen bekijken, zonder het te gaan lezen. Bekijk de titel: *De gesprongen snaar* en de voorkant van het boek. Waar zou het verhaal over kunnen gaan? Ook via de luister-cd kunt u uw kind nieuwsgierig maken naar de inhoud van het boek. Laat uw kind rustig luisteren naar het fragment op de cd. De auteur leest het eerste hoofdstuk voor. Uw kind hoeft hierbij niet mee te lezen in het boek. Tijdens het fragment op de cd hoort uw kind dat Ruben tijdens de gitaarles hoort dat zijn gitaargroepje mag gaan optreden. De gitaarjuf vraagt wie van de kinderen mee het podium op durft.

Hierdoor wordt uw kind vast benieuwd naar het verloop.
De hoofdpersonen van het boek worden op de eerste grote tekening aan de lezers voorgesteld. Het bekijken van deze plaat kan er eveneens voor zorgen dat uw kind nieuwsgierig wordt.

**Lastige woorden op de flappen.** In elk boek komen woorden voor die lastig te lezen zijn. In dit boek komt onder andere het woord *podium* een aantal maal voor. *Podium* is om twee redenen een lastig woord. Het woord podium komt in teksten voor kinderen niet zo vaak voor, waardoor het kind het woordbeeld niet snel herkent. Ook de schrijfwijze van dit woord is lastig. Het woord begint met het stukje *po*, waarbij je de letter *o* uitspreekt als een *oo*. Daarna volgt het stukje *–dium*. Dit stukje wordt door veel kinderen gezien als *–duim*.
De lastigste woorden uit het boek hebben we daarom op een flap bij elkaar gezet. Thuis kunt u deze woorden samen bekijken: u als ouder leest de woorden een keer voor. Uw kind kijkt mee en kan de woorden als een echo nazeggen. Straks bij het lezen legt u de flappen open en dan zijn deze woorden niet zo moeilijk meer. De woorden op de flap worden ook op de cd voorgelezen.
Komt een moeilijk woord dat op de flap staat voor in de tekst, dan is dit een beetje zwarter gemaakt dan de andere woorden. Uw kind weet zo dat dit een van de lastige woorden op de flap is.

**Samen lezen.** Om de vaart in het verhaal te houden, kunt u met uw kind afspreken dat jullie dit boek om beurten lezen: uw kind een bladzijde en u een bladzijde. Hierdoor kan uw kind zich af en toe concentreren op de inhoud van het verhaal, zonder dat het zich moet inspannen om de tekst te ontcijferen.

**Prijs uw kind.** Prijs uw kind uitbundig, als het dit boek helemaal heeft uitgelezen. Het heeft een hele prestatie geleverd en dat mag benadrukt worden. Vertel uw kind bijvoorbeeld dat er in dit boek dertien hoofdstukken staan die het, samen met u, allemaal gelezen heeft. Voor in het boek staan de titels van alle hoofdstukken. Door de titels samen nog een keer te lezen, kunt u nog even napraten over wat er in het boek allemaal gebeurd is.

Naam: *Els Hoebrechts*
Ik woon met: *Jo en Tibo (mijn twee zoontjes), Benjamin en onze twee cavia's Knabbel en Babbel.*
Dit doe ik het liefst: *schrijven en tekenen, films kijken, zingen en dansen.*
Dit eet ik het liefst: *scampi's in knoflooksaus.*
Het leukste boek vind ik: *De GVR van Roald Dahl.*
Mijn grootste wens is: *(in de winter) in een zuiders land wonen aan zee en daar schrijven, tekenen en van muziek genieten.*

Naam: *Helen van Vliet*
Ik woon met: *Agnes.*
Dit doe ik het liefst: *naar de film gaan en daarna naar een cafeetje.*
Dit eet ik het liefst: *broodje ei en sushi.*
Het leukste boek vind ik: *De geheime tuin.*
Mijn grootste wens is: *om ooit zelf een kinderboek te schrijven en te tekenen.*

muzikant
(muzikanten)
microfoon
hij repeteert
(repeteren)
elektrische gitaar
podium